Maidin Luain a bhí ann. Bhí Seán réidh le dul ar scoil. Bhí a chóta air agus a mhála scoile réidh aige.

Gnáthlá scoile a bhí ann. Dé Luain! Ach an Luan áirithe seo, bhí bosca mór faoina ascaill ag Seán. Bosca mór donn a bhí ann.

Bhí Seán ag breathnú ar an mbosca agus é ag canadh:

'Beidh spórt agam inniu.
Beidh spórt agam inniu.
Spraoi is spórt! Cleas is tomhais!
Beidh spórt agam inniu!'

D'fhéach sé ar a uaireadóir. Bhí sé fiche chun a naoi.

'An bhfuil tú ag teacht, a Shíle?' a bhéic sé suas an staighre. 'Déan deifir. Nílim ag iarraidh a bheith déanach.'

'Táim ag teacht,' arsa Síle. 'Ní bheidh mé ach nóiméad eile. Caithfidh mé mo chuid fiacla a ghlanadh.'

Leis sin tháinig Mamaí amach sa halla.

'Brostaigh, a Shíle,' ar sise, 'nó beimid déanach.'

'Beidh mé libh i gceann soicind,' arsa Síle.

D'fhéach Mamaí ar Sheán ansin
agus chonaic sí an bosca.

'Cá bhfuil tú ag dul leis an mbosca
sin?' arsa Mamaí.

'Táim á thabhairt liom ar scoil,'
arsa Seán.

'Maith go leor,' arsa Mamaí. 'An
bhfuil sé trom?'

'Níl,' arsa Seán. 'Beidh mé ábalta
é a iompar.'

Ar deireadh bhí Síle réidh. Rith sí
síos an staighre. Rug sí ar a cóta agus
thosaigh á chur uirthi. Chuidigh
Mamaí léi. Ansin d'fhéach Síle
ar Shéan agus ar an mbosca.

'Cá bhfuil tú ag dul leis an mbosca mór sin?' ar sise le Seán.

'Ar scoil,' arsa Seán. 'Cá háit eile a mbeinn ag dul ag an am seo den mhaidin?'

'Ach céard atá istigh ann?' arsa Síle.

'Rud a bheidh in úsáid agam ar scoil,' arsa Seán.

'Ach céard é?'

'Ní féidir liom a rá go fóill,' arsa Seán.

'Ná habair liom go bhfuil tú
ag tabhairt do chuid damhán alla
ar scoil leat?'

'Nílim,' arsa Seán i nguth ciúin
rúndiamhrach.

'Agus níl frog ann?' arsa Síle agus í ag éirí buartha.

'Níl frog ann. Tugaim m'fhocal duit nach bhfuil frog ann.'

'Ná feithidí?'

'Ná feithidí!'

'Ná aon rud chun daoine a scanrú ar scoil?'

'Ná aon rud chun daoine a scanrú ar scoil!'

Fós bhí Síle buartha.

'A Mhamaí,' ar sise. 'Tá eagla orm
go bhfuil rud éigin gránna sa bhosca sin.'

D'fhéach Mamaí ar Sheán.

'An bhfuil tú cinnte nach bhfuil
aon rud gránna sa bhosca sin?'

'Táim cinnte,' arsa Seán. 'Más mian leat, déarfaidh mé leat céard atá ann. Ach caithfidh tú a gheallúint dom nach ndéarfaidh tú le duine ar bith eile é.'

'Maith go leor,' arsa Mamaí. 'Tugaim m'fhocal duit nach ndéarfaidh mé le duine ar bith céard atá sa bhosca.'

D'fhéach Mamaí isteach sa bhosca.
D'fhéach sí ar Sheán. Chrom sí síos
ansin agus rinne Seán cogar ina cluas.

Thosaigh sí ag gáire.

'Ní gá duit a bheith buartha, a Shíle.
Níl frog ná damhán alla ná aon rud
gránna sa bhosca.'

'Ach céard atá ann mar sin?'
arsa Síle.

'Déarfaidh mé leat é nuair
a thiocfaimid abhaile,' arsa Seán.

Ní raibh Síle róshásta leis an
bhfreagra sin ach ní raibh aon rogha
aici. Ní raibh Seán chun aon eolas eile
a thabhairt di.

'Anois,' arsa Mamaí, 'déanaimis
deifir nó beimid déanach don scoil.'

Ar aghaidh leo síos an bóthar
i dtreo na scoile.

Bhuail said le Niall thíos ag an
gcúinne.

'Dia dhuit, a Sheáin,' arsa Niall.
'Céard atá sa bhosca?'

'Rud an-speisialta don scoil,' arsa
Seán agus é ag gáire.

D'fhéach Niall ar an mbosca.

'Tá sé an-mhór!' ar seisean.

'Caithfidh go bhfuil rud éigin an-mhór
istigh ann!'

'Tomhais céard atá ann,' arsa Seán.

'Madra?' arsa Niall.

'Ní hea,' arsa Seán. 'Dá mbeadh madra ann nach gcloisfeá é ag tafann?'

'B'fhéidir go bhfuil sé ina chodladh,' arsa Niall.

Thosaigh Seán ag gáire.

'Ní madra atá ann,' a dúirt sé. 'Tomhais arís!'

Thosaigh Niall ag smaoineamh.

'Rothar!' ar seisean.

'Ní hea!' arsa Seán. 'Dá mbeadh rothar ann bheadh sé róthrom chun é a iompar.'

'Bhuel, céard atá ann mar sin?' arsa Niall.

'Bíodh foighne agat,' arsa Seán. 'Gheobhaidh tú amach ar ball.'

Ar aghaidh leo arís.

Bhuail siad le Siobhán agus le Conall ag geata na scoile.

Bhí Siobhán in aon rang le Seán agus bhí a deartháir óg i Rang na Naíonán Beag.

'Haigh!' arsa Siobhán. 'Céard atá
sa bhosca mór sin, a Sheáin?'

'Tomhais céard atá ann!' arsa Seán.

D'fhéach Siobhán agus Conall
ar an mbosca.

'Coinín?' arsa Siobhán.

'Ní hea!' arsa Seán.

D'fhéach Conall ar an mbosca.

'Tá sé an-mhór,' ar seisean.
'Caithfidh go bhfuil rud éigin
ollmhór istigh ann. Eilifint, b'fhéidir,
nó sioráf?'

Thosaigh siad go léir ag gáire.

'Ní hea, ní hea,' arsa Seán.

Leis sin chuala siad clog na scoile
ag bualadh.

D'fhág Seán agus Síle slán le
Mamaí ag an ngeata agus isteach leo
ar scoil.

Thug Seán a dheirfiúr bheag síos
go dtí Rang na Naíonán Mór.

'Slán, a Shíle,' ar seisean. 'Bíodh maidin dheas agat agus feicfidh mé thú sa chlós am lóin.'

'Slán, a Sheáin,' arsa Síle. 'An mbeidh an bosca sin agat sa chlós?'

'Beidh, cinnte.'

'Agus an bhfuil tú cinnte nach bhfuil aon rud scanrúil ann?'

'Táim cinnte. Ná bí buartha. Ní thabharfainn aon rud scanrúil ar scoil!'

Chuaigh Seán isteach ina rang féin ansin. Bhí sé i Rang a hAon.

Bhí gach duine sa rang ag breathnú ar an mbosca.

'Céard atá ann, a Sheáin?' arsa Cathal.

'Céard atá ann, a Sheáin?' arsa Niamh.

Bhí na páistí go léir ag iarraidh
a fháil amach céard a bhí sa bhosca.

Shíl duine amháin go raibh cat ann.

Ach ní raibh.

Shíl Fionnán go raibh leoraí ann.

'Ní leoraí atá ann,' arsa Séan.

Shíl Aisling agus Úna go raibh
bábóg ann.

Ach ní raibh.

'An bhfuil cead agam é a ardú agus é a chroitheadh?' arsa Dónall.

'Níl,' arsa Seán. 'Níl cead ag aon duine oiread is méar amháin a leagan ar an mbosca seo ach mé féin!'

'An é go mbrisfeadh sé?' arsa Dónall. 'Tá sé agam anois! Tá gloiní ann!'

'Níl gloiní ann,' arsa Seán.

'Tá a fhios agamsa,' arsa Aoife. 'Tá piscín nó ainmhí beag éigin istigh ann agus bheadh eagla air dá ndéanfadh aon duine an bosca a chroitheadh.'

'Tá brón orm,' arsa Seán, 'ach níl an ceart ag duine ar bith agaibh go fóill.'

Ag am lóin d'iarr Seán cead ar an múinteoir an bosca a thabhairt amach sa chlós.

'Nílim ag iarraidh é a fhágáil anseo,'
ar seisean. 'Tá mé cinnte go
mbreathnóidh duine éigin isteach ann
má fhágaim anseo é.'

'Tá fonn orm féin breathnú isteach
ann,' arsa an múinteoir.

D'fhéach Seán thart chun
a chinntiú nach raibh aon duine
eile ag éisteacht leis.

'Bhuel,' a dúirt sé, 'má gheallann tú
dom nach ndéarfaidh tú rud ar bith
le duine ar bith, déarfaidh mé leatsa
céard atá ann.'

'Geallaim duit nach ndéarfaidh mé
rud ar bith le duine ar bith,' arsa an
múinteoir. 'Tugaim m'fhocal duit.'

Leis sin, chrom sí síos. Rinne Seán
cogar ina cluas.

Rinne an múinteoir gáire mór.

'Cinnte, tá cead agat é a thabhairt amach sa chlós,' ar sise.

Bhí an-spórt ag Seán leis an mbosca sa chlós.

Bhí gach duine fiosrach faoin am seo. Chruinnigh na páistí go léir thart timpeall ar Sheán.

'An bréagán atá ann?' arsa duine amháin.

'Ní hea,' arsa Seán.

'Clocha?' arsa duine eile.

'Ní hea.'

'Ainmhí?'

'Ní hea.'

'Leabhar?'

'Ní hea.'

'Rud éigin is féidir a ithe?'
'Ní hea.'
'Liathróid?'
'Gunna?'
'Éadaí de chineál éigin?'
'Ní hea! Ní hea! Ní hea!!'

'Tabharfaidh mé fiche cent duit
má osclaíonn tú é,' arsa Caitríona.

'Mise freisin,' arsa Lorcán.

'Dá dtabharfadh gach duine fiche
cent duit bheifeá saibhir,' arsa Fionnán.

'Níl spéis agam in bhur gcuid
airgid,' arsa Seán.

Bhuail an clog ar ball. Isteach leo
sa rang arís.

D'fhág Seán an bosca ar an urlár
in aice lena chathaoir féin.

Ach ní raibh aon duine in ann
smaoineamh ar an obair! Bhí siad
go léir ag breathnú ar an mbosca.

Sa deireadh, labhair an múinteoir
le Seán.

'A Sheáin, an bhfuil tú chun a insint
don rang céard atá sa bhosca?'

'Maith go leor,' arsa Seán.
'Taispeánfaidh mé daoibh anois cad
atá ann.'

D'oscail Seán an bosca. Bhailigh
na páistí go léir thart.

D'fhéach siad isteach sa bhosca.

Ba í Aisling an chéad duine
a labhair.

'Tá sé folamh,' ar sise.

'Tá,' arsa Fionnán. 'Níl ann ach aer.'

'Níl sé folamh,' arsa Seán. 'Tá cluiche ann, cluiche dar teideal **Céard atá sa Bhosca?** Nach bhfuil sibh tar éis an lá ar fad a chaitheamh á imirt!'